찰리와 로켓 친구

SEOUL, 2010

찰리와 로켓 친구

초판 제1쇄 발행일 2010년 1월 15일
초판 제33쇄 발행일 2022년 3월 20일
글 힐러리 매케이 그림 샘 헌 옮김 지혜연
발행인 박헌용, 윤호권 발행처 (주)시공사
주소 서울시 성동구 상원1길 22, 6-8층 (우편번호 04779)
대표전화 02-3486-6877 팩스(주문) 02-585-1247
홈페이지 www.sigongsa.com/www.sigongjunior.com

Charlie and the Rocket Boy
Text copyright ⓒ Hilary McKay, 2008
Illustrations copyright ⓒ Sam Hearn, 2008
All rights reserved.
Korean translation copyright ⓒ 2010 by Sigongsa Co., Ltd.
This Korean edition is published by arrangement with Scholastic Limited
through Kids Mind Agency, Seoul.

이 책의 한국어판 저작권은 키즈마인드 에이전시를 통해
Scholastic Limited와 독점 계약한 (주)시공사에 있습니다. 저작권법에 의해
한국 내에서 보호받는 저작물이므로 무단 전재와 무단 복제를 금합니다.

ISBN 978-89-527-8695-1 74840
ISBN 978-89-527-5579-7 (세트)

*시공사는 시공간을 넘는 무한한 콘텐츠 세상을 만듭니다.
*시공사는 더 나은 내일을 함께 만들 여러분의 소중한 의견을 기다립니다.
*잘못 만들어진 책은 구입하신 곳에서 바꾸어 드립니다.

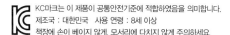

KC마크는 이 제품이 공통안전기준에 적합하였음을 의미합니다.
제조국 : 대한민국 사용 연령 : 8세 이상
책장에 손이 베이지 않게, 모서리에 다치지 않게 주의하세요.

찰리와
로켓 친구

힐러리 매케이 글 • 샘 헌 그림

지혜연 옮김

시공주니어

차례

제1장
가장 친한 친구

찰리와 헨리는 가장 친한 친구
사이였다. 여러 해 동안 가장
친하게 지내 왔다. 유아원에
입학한 첫날, 두 아이는
'생각하는 의자'에서 처음

만났다. 그 의자는 잘못을 저지른 사람에게
반성할 시간을 주기 위해 만들어 놓은 거였다.

찰리는 헨리를 쳐다보며 생각했다.

'저 녀석을 밀면 틀림없이 나가떨어질 거야.'

헨리는 찰리를 쳐다보며 생각했다.

'저 녀석을 틀림없이 납작하게 뭉개 버릴 수 있을 거야.'

네 살배기 찰리와 헨리는 그런 생각이 들자마자 곧장 실천으로 옮겼다. 찰리의 생각은 확실히

들어맞았다. 찰리는 헨리를 밀쳐 쉽게 나가떨어지게
할 수 있었다. 5초 뒤 헨리의 생각도 맞았다는 것이
밝혀졌다. 헨리는 찰리를 납작하게 깔아뭉갤 수
있었다.

어느새 찰리와 헨리는 생각하는 의자로 돌아가
있었다. 그날 아침, 여러 가지 이유로 둘은 내내
생각하는 의자에서 지냈다. 집으로 돌아갈 시간이

되었을 때, 둘은 벌써 가장 친한 친구가 되어
있었다. 엄마들은 두 아이가 서로 친구가 되어
기분이 한결 가벼웠다. 찰리의 엄마는 속으로
헨리가 찰리보다는 조금 더 심한 말썽꾸러기라고
생각했다. 헨리의 엄마는 찰리가 헨리보다 더
말썽꾸러기라고 생각했다. 자기 아이가 유아원에서
첫 번째가 아니라 두 번째
말썽꾸러기라고 생각하니
조금은 마음이 놓였다.

찰리와 헨리는 집도 아주
가까웠다. 원하기만 하면
아무 때나 서로의 집에
가서 놀 수 있었다. 그리고
놀다가 싸움이 벌어져서 혼이
나도 아무런 문제없이
집으로 돌아올 수 있었다.

그러다 언제 싸웠냐는 듯 꼭 붙어 다니며 모든 일을
같이했다. 부활절 달걀 찾기, 머리 자르기, 모닥불
피우기도 같이했고, 심지어 신발도 같이 샀다. 수두,
기생충, 배앓이와 감기까지 함께했는데, 한 사람이
걸리면 다른 한 명도 걸리기 마련이었던 것이다.

어느 해 여름인가는
말벌들이 사는
벌집을 발견해
막대기로 찌르는
바람에 둘이
동시에 벌 떼의
공격을 받은
적도 있었다. 어느
겨울날에는 산타
할아버지를
잡겠다고 함께

덫을 놓았다가 진짜로 할아버지를 거의 잡을
뻔하기도 했다.

둘이 같이 학교에 다니기 시작하자, 엄마들은
한시름 놓았다는 듯 한숨을 내쉬며 말했다.

"드디어!"

두 엄마는 얼마나 기쁜지 서로 부둥켜안았다.
그리고 그날을 축하하기 위해 같이 점심을 먹으러
나갔다. 찰리와 헨리는 그다음 서너 주 동안
반 아이들에게 둘이 서로 얼마나 쉽게 상대방을
때려눕히고 또 깔아뭉갤 수 있는지 보여 주었다.
하지만 누가 뭐래도 둘은 여전히 가장 친한
친구였다. 찰리와 헨리는 수업 시간에도 나란히
앉아 공부를 했고, 점심시간에도 나란히 앉아
점심을 먹었고, 집으로 돌아올 때도 꼭 나란히 같이
걸어왔다.

선생님들은 가끔 찰리와 헨리가 속닥거리고 서로

밀쳐 대는 것을 보다 못해 둘을 떼어 놓으려고 했다.
하지만 소용없었다. 찰리와 헨리는 전혀 바뀌지
않았다. 둘을 따로 떼어 놓으니 더 시끄러워지기만
했다.

찰리와 헨리가 여덟 살이 되었을 때, 둘은
홀리데이 선생님 반이 되었다. 홀리데이 선생님은
둘을 따로 앉히지 않았다.

"문젯거리는 되도록 한군데로 모으는 것이
나을지도 몰라."

홀리데이 선생님은 자기 책상 옆에 찰리와 헨리를
위해 특별히 빨간 책상을 마련해 두었다.

한때 홀리데이 선생님 반이었던 찰리의 형 맥스가
말했다.

"선생님은 책상 색깔로 학생들을 구별해.
빨간색은 위험하다는 뜻이야."

"홀리데이 선생님은 우리를 좋아하서."

찰리와 헨리는 그렇게 반박했지만 혹시나 하는 마음에 선생님에게 빨간색 책상이 위험을 뜻하는 거냐고 물었다.

홀리데이 선생님이 되물었다.

"아니, 왜 그런 생각을 하게 되었니?"

"맥스 형 때문에요."

홀리데이 선생님은 맥스를 기억하고 있었다.

"세상에! 아, 그래. 맥스라는 아이 생각나. 아주 키가 컸지. 학교 대표 체스 팀이었고, 축구도 아주 잘했었는데."

찰리가 물었다.

"형 책상은 무슨 색이었어요?"

"모르겠는데? 제일 뒤에 앉았었거든. 그나저나 너희 둘이 크리스마스 연극 때 당나귀를 맡아 주면 어떻겠니?"

찰리와 헨리는 너무 기쁘고 놀라서 갑자기 할

말을 잃었다.

홀리데이 선생님이 계속 말했다.

"너희 둘에게 딱 맞는 역이란다! 두 명 다 아주 주연급 역할이야. 둘이서 머리와 꼬리를 하나씩 맡으면 돼. 너희들이라면, 누가 어느 쪽을 맡을지를 놓고 절대 싸우지 않을 거라는 믿음도 가고."

바로 그 문제로 실랑이를 벌이려던 찰리와 헨리는

선생님에게 당연히 싸우지 않을 거라고 말했다.

"그렇다면 좋아."

홀리데이 선생님은 그렇게 대답했고, 가장 친한 친구인 찰리와 헨리는 연극에서 실제로 당나귀를 맡아 정말 잘 해냈다.

"완벽하게 해냈구나!"

홀리데이 선생님은 이렇게 말하더니, 다른 아이들한테는 시시하게 초콜릿 돈을 주고, 찰리와 헨리에게는 은박지로 싼 진짜 당근을 크리스마스 선물로 주었다.

찰리가 맥스 형에게 말했다.

"선생님이 우리를 좋아하신다니까!"

크리스마스 연극이 끝나고 학기도 끝났다.

그러고 나서 크리스마스가 왔다.

크리스마스가 지나 버리자, 찰리와 헨리는 마치 우주로 쏘아 올렸던 로켓이 혜성처럼 별과 별

사이를 누비다가 잿빛으로 납작하게 변해 따분한
지구로 돌아온 듯한 슬픈 느낌이었다.

찰리 엄마와 헨리 엄마가 서로에게 인사했다.

"새해 복 많이 받으세요! 크리스마스 장식을 언제
떼야 할까요?"

아빠들도 인사를 나누며 말했다.

"새해 복 많이 받으십시오! 아이들은 곧 학교로
돌아갈 거예요."

"새해 복 많이 받아라! 기분 풀어! 다음
크리스마스까지는 358일밖에 남지 않았어." 하고
맥스가 말했다.

이런 말들은 찰리와 헨리에게 전혀 위로가 되지
못했다.

제 2 장
환영한다!

크리스마스는 다 지나갔다. 크리스마스 장식들은
이미 다 떼어지고 없었다. 이제는 봄이 오기만을
기다리는 일밖에 없었다. 봄이 오기까지는 한참이나
남았다. 아직 1월밖에 되지 않았는데, 올해는 지난
몇 년을 비교해 봤을 때 가장 추운 1월이었다.

새 학기 첫날, 아침이 밝았다. 3반 담임인
홀리데이 선생님은 방금 도착한 남자아이와

교무실에 있었다.

재커리는 새로 전학 온
친구였다. 학교에 너무 일찍
오는 바람에 한참 동안 혼자
있었다. 홀리데이 선생님은
재커리를 처음 본 순간 이렇게
특이한 아이는 처음이라고
생각했다. 마치 그날 아침
외계에서 막 떨어진 아이처럼
낯설었다. 재커리는 지난번
학교에서 써 준 편지를 들고
있었다. 편지에는 이렇게 써 있었다.

재커리는 가족에 관해 말하는 것을 좋아합니다.
질문을 받는 것은 그다지 좋아하지 않습니다.
자신도 답을 모르기 때문입니다.

19

홀리데이 선생님은 그 말을 이해할 수 있었다.
선생님은 아무것도 묻지 않았다. 선생님은 그저
미소를 지으며 복도를 걸어 교실로 갔다.

선생님이 말했다.

"한 번도 재커리라는 이름을 가진 학생은
없었는데. 아마 네가 우리 반에서 첫 번째 재커리가
되겠구나."

"아마 재커리는 더 이상 없을 거예요. 어쩌면 제가
유일할지도 몰라요."

홀리데이 선생님이 장단을 맞춰 주었다.

"그렇다면 우린 정말 운이 좋은 거구나, 그렇지?"

재커리는 억지로 미소를 지어 보였다.

홀리데이 선생님이 말했다.

"선생님이 학기 초에 나 자신에게 뭐라고
말하는지 아니? 선생님은 스스로에게 '용기를
갖자!' 라고 말한단다."

"용기요?"

"응, 그럼 도움이 되거든. 만약 다른 사람들이 나에게 그렇게 말해 주어도 도움이 되지."

"용기를 가지세요, 홀리데이 선생님!"

재커리 말에 홀리데이 선생님도 맞장구쳤다.

"그래, 너도 용기를 가져, 재커리!"

그렇게 말하면서 선생님은 재커리를 텅 빈 교실로 데리고 들어갔다.

"자, 이제 네가 앉을 곳을 알려 줘야겠구나."

선생님은 교실을 찬찬히 둘러보았다. 머리가 좋은 녀석들이 앉는 뒷자리는 안 될 것 같았다. 거긴 선생님 자리에서 너무 머니까. 축구를 가장 좋아하는 녀석들과 앉혀서도 안 될 듯싶었다. 재커리는 미국에서 왔기 때문에 영국식 축구에 대해 아직 잘 모를 테니까. 하루 종일 입을 다물지 않는 녀석이 앉아 있는 파란색 책상도 안 되겠다 싶었다.

재커리에게 한 번도 말할 기회가 없을 테니까.
빈틈없이 단정하게 교복을 입고 엄청나게 큰 필통을
들고 다니는 아이들이 앉는 노란색 책상도 마땅치
않았다. 재커리는 아무것도 가져오지 않을 테니까.

"자, 여기다!"

마침내 선생님이 결정을 내리고 재커리를 위해
의자를 하나 꺼냈다.

"나하고 아주 가까운 곳이고, 귀여운 기니피그가
잘 보이는 곳이란다."

재커리는 자기 자리에 앉아 조용히 기니피그를
바라다보았다. 기니피그도 재커리를 쳐다보았다.
하루가 시작되기를 기다리는 교실에는 고요한
침묵이 흘렀다.

한편, 찰리와 헨리는 학교로 가는 중이었다. 둘은
헨리가 새로 산 원격 조종 자동차(찰리네 집
어디선가 잃어버린)와 찰리의 새 전기 기타(전날
끔찍하게도 줄이 다 끊어져 버린 상태로 헨리가
돌려주었던)를 두고 티격태격하며 가고 있었다.

찰리와 헨리는 찰리의 수집품 상자에서
컬리윌리(초콜릿 바의 한 종류 : 옮긴이)가 사라지고,
헨리의 산타 양말 속에 있던 산타 모양의 젤리가
없어진 크리스마스 다음 날부터 내내 싸움을 벌이고
있었다.

오늘 아침 찰리와 헨리는 둘 다 유난히 짜증을
내고 있었다. 컴컴할 때 일어나 옷을 갈아입고
차가운 콘플레이크를 먹고 추운 거리를 터벅터벅
걸어가고 싶지 않아서였다.

환영합니다!

교문 위에 그렇게 쓰여 있었다.

"그냥 침대에서 잠이나 자면 얼마나 좋을까?"

찰리는 투덜거렸다. 그리고 외투를 벗어 두는
곳에서 어깨에 메고 있던 가방을 내려놓다가
자기도 모르게
헨리의 눈을
찔렀다.

"그래, 너 같은
아이는 그냥 침대에
누워 있어야 해."

헨리는

24

짜증을 내며 말하고는 찰리를 밀었다.

  그렇지 않아도 화가 나서 쿵쿵 요란하게 걸어
교실로 갔는데, 찰리와 헨리가 앉는 책상에
재커리가 앉아 있었다.

  찰리와 헨리는 너무나 뜻밖이었다. 아이들은
어느새 산타 모양의 젤리와 컬리월리에 대해서는
까맣게 잊었다. 전기 기타와 잃어버린 원격 조종

자동차(찰리네 세탁기 뒤로 영원히 사라져 버린)에 대한 아쉬움도 더 이상 문제가 되지 않았다. 둘은 어느새 다시금 가장 친한 친구가 되어 있었다. 그 외에는 누구도 필요 없는 그런 사이로 돌아가 있었던 것이다. 말은 하지 않았지만, 둘 다 이 세상에 다른 그 누구도 필요 없었다. 특히 이 낯선 아이는 말할 것도 없었다. 파란색의 동그란 눈에 노란색 곱슬머리, 분홍빛을 띤 동그란 얼굴을 한 아이는 교복조차 입고 있지 않았다.

헨리는 자리에 앉자마자 나지막하게 재커리에게 물었다.

"너 왜 교복 안 입고 왔어?"

"이 학교에 계속 다닐 게 아니거든. 얼마 동안만 다닐 거야."

찰리는 희망에 차서 물었다.

"오늘만?"

"그것보다는 오래."

"그럼 이번 주만?"

"아니, 그것보다도 오래."

"얼마나 오래?"

찰리는 다그치듯 물었다. 찰리는 목소리를
낮추어야 하는 것을 잊었다. 출석 점검을 하던
홀리데이 선생님이 찰리를 불렀다.

"찰리!"

선생님은 찰리를 그저 노려보았다.

홀리데이 선생님이
노려보는 눈빛은
날카로운 무기
같았다. 찰리는
선생님의 그런 눈빛이
싫었다. 선생님이 정확하게
어디를 보고 있는지

느낌으로도 알 수 있었다. 마치 두 개의 얼음 같은
손가락이 찰리의 목뒤를 찌르는 듯했기 때문이다.
몸을 꼼지락거려도 소용없었다. 그래서 찰리는 입을
다물었다.

"지금 출석 점검 중이야."

홀리데이 선생님은 얼음 같은 손가락을
찰리에게서 떼어 헨리의 머리 위에서 탁 튕기고는
말했다.

"조용히 해 주면 좋겠구나."

찰리는 목뒤를 문질렀고 헨리는 머리를 문질렀다.
그러고는 자신들을 이런 난감한 상황에 빠뜨린
재커리 얼굴에 미안해하는 낌새가 있는지 살폈다.
기니피그가 이 상황을 보려고 창살 가장자리까지 와
있었다. 재커리는 두 아이와 기니피그를 보며
미소를 지어 보였다. 찰리와 헨리에게는 살짝
미소를 지어 보였고 기니피그에게는 환한 미소를

지어 보였다.

　재커리는 자신이 문제를 일으켰다고는 생각하지 않는 것 같았다.

　전혀 미안해하는 눈치가 없었다.

제3장
재커리

　출석 점검을 마친 다음, 홀리데이 선생님은
재커리를 반 아이들에게 소개했다.

　"재커리는 잠시 우리와 지내기 위해 미국에서 온
친구란다. 다들 좋은 친구가 돼 주길 바라. 네가
직접 자기소개를 해 주겠니, 재커리?"

　잠시 동안 재커리는 입을 열려고 하지 않았다.
재커리는 아무리 말해도 아이들이 자기 이야기를

이해하지 못할 거라는
표정을 짓다가 생각이
바뀌었는지 자리에서
일어섰다.
"내 이름은 재커리야.
하지만 다들 잭이라고 불러. 나는
여덟 살이고, 이제 곧 아홉 살이 된단다. 난 아주
멀리서 왔어. 우리 아빠는 우주 비행사인데, 지금
어느 별로 이동하는 중이셔.
가는 데 2년 반이 걸리고
돌아오는 데 2년 반이
걸리니까 아마 내가 열네
살쯤 되어야 아빠를 다시 만날 수
있을 거야."
　재커리가 말을 마치고는 자리에
앉았다.

아이들은 어안이 벙벙해졌고, 교실에는 침묵이
흘렀다. 그러다 반 전체가 술렁이기 시작했다. 이런
말도 안 되는 이야기는 처음이었다! 이런 끔찍한
잘난 척도 처음이었다! 26개의 팔이 높이 올라갔다.
몇몇 아이는 펄쩍 뛰며 팔을 더 높이 치켜들었다.
엄청나게 시끄러웠다. 교실이 무너져 내릴 것
같았다.

"조용!"

홀리데이 선생님은 교실이 떠나갈 듯 큰 소리로
말했다.

"모두들 조용! 헨리, 의자를 똑바로 놔! 찰리,

소리 좀 그만 질러! 모두 손을 내려라! 자, 재커리!"

재커리는 공손하게 대답했다.

"예, 선생님?"

"잘 들었다. 고맙구나. 많은 사람들 앞에 서서
말하기가 쉽지 않았을 텐데…… 참 잘했어. 찰리,
이제 팔 좀 그만 흔들어!"

찰리는 선생님이 무섭게 노려봐서 팔을 흔들다
멈추었다. 선생님은 재커리 아빠에 대해 어떤
질문도 하지 못하게 했다. 또한 재커리가 말한
내용이 사실일 리가 없다는 말도 하지 못하게 했다.
선생님은 재커리가 한 말을 다 믿는 것 같았다.
엉터리 질문은 하지 않겠다는 약속을 한 다음,
유일하게 질문할 기회를 얻은 사람은 찰리였다.
찰리는 흥분을 하거나 긴장하면 목소리가
날카로워졌다. 찰리의 목소리는 이미 날카로워져
있었다.

"재커리는 여덟 살에서 아홉 살이 되어 가는 중이죠? 별에 가는 데 2년 반, 돌아오는 데 2년 반이면 재커리네 아빠가 5년 동안 우주에 가 있는 거잖아요. 그럼, 아빠가 돌아올 즈음 재커리는 열세 살이라고요, 쟤가 말했듯이 열네 살이 아니고요."

홀리데이 선생님은 정말 놀란 표정을 지으며 말했다.

"세상에, 찰리! 아니, 숙제도 아닌데 스스로 셈을 해 보다니, 이런 일은 처음인 것 같은데! 더군다나 계산이 맞았어! 재커리? 찰리에게 설명해 보겠니?"

재커리는 다시 일어나서 찰리에게가 아니라 반 아이들 전체에게 설명해 주었다.

"그곳에 가면 할 일이 있으니까. 갔다가 그냥 돌아오려고 그 멀리까지 간 건 아니지. 탐사도 해야 하고, 그 밖에도 할 일이 많을 거야."

홀리데이 선생님은 아무렇지 않은 표정으로 반

아이들을 둘러본 다음, 손가락 하나만 더
움직이거나 한마디만 더 하면 모두 쉬는 시간에
교실에 있어야 한다는 표정을 지었다.

재커리가 말했다.

"씨앗도 심어야 해."

"에? 별에다?"

헨리는 자신도 모르게 불쑥 끼어들었다.

홀리데이 선생님이 야단쳤다.

"헨리, 재커리에게 사과하든지 아니면 교실에서
나가라!"

재커리는 자기가 말할 때 아무에게도 방해받지
않은 듯 다시 설명하기 시작했다.

"식물의 씨앗을 심어야지. 그런 다음 잠시
머물면서 싹이 나오는지도 봐야 할 거야. 그래서
시간이 걸린다는 말이었어. 그러니까 아빠가
돌아오실 즈음에는 난 열네 살이 되어 있겠지."

재커리는 잠시 멈추었다가 계속했다.

"아마도……."

그러더니 한숨을 쉬었다.

홀리데이 선생님은 이야깃거리를 바꾸고 싶어
했다. 선생님은 재커리 아빠 이야기가 흥미롭기는
하지만, 이제는 수학을 배울 시간이라고 말했다.
표와 그래프를 공부할 차례였는데, 선생님은
아이들이 가지고 있는 애완동물을 막대그래프로
그려 보자고 했다. 선생님은 아주 빠르게
칠판에다가 아이들이 가지고 있는 모든 종류의
애완동물을 적기 시작했다. 한 사람도 빠짐없이
대답해야 했다.

아이들은 숫자를 세기 시작했다. 강아지 다섯
마리, 고양이 열한 마리, 토끼 두 마리, 햄스터 두
마리, 기니피그 다섯 마리, 코커투(앵무새의 일종 :
옮긴이) 한 마리, 그리고 금붕어 열아홉 마리를 세어

가고 있는데 갑자기 재커리가 손을 들더니 말했다.

"말 네 마리 추가요."

찰리와 헨리는 놀라서 펄쩍 뛰다 머리를 부딪쳤다.

선생님이 물었다.

"말이 네 마리나?"

"네, 우리 집엔 말이 네 마리 있어요."

선생님은 칠판 맨 아래에 '말 네 마리' 라고
적었다. 그러고는 헨리와 찰리를 못 본 척했다.

선생님이 재커리에게 물었다.

"또 다른 것은?"

"없어요."

네 마리의 말은
다른 동물들과
함께 그래프에
그려졌다.

홀리데이 선생님은 말을 네 마리씩이나 가지고 있는 사람이 어디 있냐는 말이 나오지 못하게 했다!

일단 네 마리의 말이 목록에 올라가자 재커리는 수학에 관심을 두지 않았다. 재커리는 멀리 떨어진 어딘가에서 흥미로운 일이 벌어지고 있다는 듯한 표정으로 앉아 있었다. 마치 망원경을 이용해 조금은 흥미로운 듯, 조금은 졸린 듯한 표정으로 먼 곳을 바라다보고 있는 듯했다.

3반 아이들은 달랐다. 수학 시간은 그 어느 시간보다 길게 느껴졌다. 마치 풍선을 너무 세게 불어서 터지기 직전인 듯한 기분이었다.

이제 찰리(새롭게 등장한 수학의 천재)도 거의 참을 수가 없었다.

마침내 쉬는 시간이 되었다.

반 아이들은 모두 운동장으로 뛰쳐나가 재커리를 둘러쌌다.

아빠가 2년 반이나 걸리는 별나라로 가는 중이고,
말을 네 마리나 키운다는 재커리를 아이들은 어떻게
받아들일지 결론을 낸 모양이었다.

"거짓말쟁이! 거짓말쟁이!
엉덩이에 뿔 난대요!"

"거짓말쟁이!
거짓말쟁이! 엉덩이에
뿔 난대요!"

재커리는 주머니에
손을 넣고 이맛살을
찌푸린 채 가만히 서
있었다. 파란색의 동그란
눈이 더 동그래지고
있었다.

제4장
거짓말쟁이! 거짓말쟁이!
엉덩이에 뿔 난대요!

"창피한 줄 알아!"

어디선가 홀리데이 선생님이 나타나 무섭게 노려보자 아이들은 꿀 먹은 벙어리가 되어 그 자리에 얼어붙은 듯 서 있었다.

"다들 안으로 들어가! 재커리, 넌 여기서 기다려! 찰리와 헨리, 너희들 지금 뭐 하는 거니?"

찰리와 헨리는 다른 아이들처럼 재커리에게

거짓말쟁이라고 놀리지 않았다. 교실에서 정신없이
뛰쳐나가다가 찰리가 제 발에 걸려 넘어져 땅바닥에
대자로 누워 버렸기 때문이다. 찰리는 바닥에 누운
채 버둥거리며 "의리도 없는 녀석들!"이라고
투덜거렸다.

　헨리는 친구의 배를 깔고 누울 수 있는 최고의
기회를 놓치지 않고 찰리를 깔고 앉아 찰리의 양쪽
운동화 끈을 꽉 묶어 버렸다.

찰리와 헨리는 씩씩대며 서로 부둥켜안고
몸싸움을 벌이느라 아이들과 한패가 되어 재커리를
놀릴 수가 없었다. 그래서 홀리데이 선생님이
아이들이 있는 곳으로 달려 나왔을 때, 찰리와
헨리는 선생님의 최악의 분노를 피할 수가 있었다.
선생님은 찰리와 헨리에게 어리석은 짓은 그만두고
신발을 똑바로 신은 다음 재커리에게 운동장을 보여
주면서 친절하게 대해 주라고 했다.

찰리와 헨리는 재커리에게 축구장을 보여 주었다.
그리고 우정의 벤치도 보여 주었다. ("친구가
하나도 없으면 앉는 자리야."라고 헨리가 설명하자
재커리는 기다렸다는 듯 앉았다.) 그리고 제비가
지어 놓은 오래된 둥지와 수위실 밖에 있던
수도꼭지와 선생님들이 쓰는 주차장을 보여 주었다.
찰리가 말했다.

"겨울이 되면 저 수도에서 물이 뚝뚝 흘렀어. 그 물이 주차장 한가운데에 거대한 웅덩이를 만들었고, 그 웅덩이가 얼면 거기서 썰매를 탔지. 하지만 선생님들이 얼음 위에다 소금을 뿌리고는 수도를 잠가 버렸단다."

재커리가 말했다.

"우리 집에는 엄청나게 큰 호수가 있는데, 겨울이 되면 몽땅 단단하게 얼어. 그럼 우리는 달빛 아래서 스케이트도 타고 썰매도 타지. 숲에서 늑대가 나와 가장자리에 앉아 쳐다보지만 하나도 위험하지는 않아. 왜냐하면 늑대들은 얼음 위를 달리지 못하거든. 다리가 네 개라는 말은 동시에 네 방향으로 미끄러져 꼼짝도 못한다는 말이야. 그리고 늑대들은 모닥불 근처로는 오지 않아."

찰리와 헨리는 둘 다 미국에 가 본 적이 없었다. 하지만 문득 얼어붙은 호수와 달빛, 그리고

모닥불과 그림자가 드리운 나무들, 그리고 늑대의
그림이 머릿속에 그려졌다. 얼마나 생생하게
그려지던지 말문이 막힐 정도였다. 그 이후로
찰리와 헨리는 '미국'이라는 단어만 들으면
머릿속에 그 장면이 가장 먼저 떠올랐다. 찰리와
헨리는 재커리를 뚫어져라 쳐다보면서 입을 다물지

못했다. 그런 이유로
둘은 재커리에게
'거짓말쟁이!
거짓말쟁이!
엉덩이에 뿔

난대요!' 라고 놀리지 못했던 것이다.

"수도를 잠가 놓다니 안타깝다."

재커리는 찰리나 헨리에게가 아니라 혼자
중얼거리는 듯 계속 말했다.

"난 정말 스케이트 타는 것을 좋아해. 특히 밤에
말이야. 서리가 내린 맑은 날 밤에는 별나라로 가는
우리 아빠의 로켓을 볼 수 있단다. 아빠가 보고
싶어. 그리고 엄마도. 우리 엄마는 플로리다 주에
있는 디즈니랜드에 가셨어."

그때 벨이 울렸고 모두들 서둘러 교실로 돌아가야
했다. 교실에 가니 홀리데이 선생님이 불안할

정도로 친절하게 대해 주었다. 그래서 오후 내내
감히 그 누구도 아무 말 할 수 없었다.

그래서 헨리는 학교가 끝날 때까지 재커리에게 그
무엇보다 분명한 사실을 짚어 줄 기회가 없었다.

헨리가 말했다.

"디즈니랜드는 프랑스에 있어! 파리에! 내가 가
봤다고! 내 말을 믿지 못하겠다면 아이들에게
물어봐!"

하지만 재커리는 다른 아이들에게 물어보지
않았다. 재커리는 파란색의 동그란 눈으로 그저
진지하게 헨리를 쳐다보며 고개를 젓더니 말했다.

"내 생각엔 네가 헷갈린 것 같은데, 찰리."

그러더니 그냥 가 버렸다. 찰리와 함께 집으로
걸어오던 헨리는 화가 나서 투덜거렸다.

"나보고 찰리라고 부르더라고! 내가 너처럼
생겼냐?"

"아니! 물론 아니지! 넌 쪼그맣잖아. 머리카락도 이상하고! 앞자락에 요구르트 흘린 자국도 있고! 여자아이들이나 신는 하얀색 양말이나 신고……."

"조끼나 입고 다니는 주제에……."

그 말에 찰리는 할 말을 잃었다.

"어쨌든 우린 재커리에 대해 말하던 중이었어. 내가 디즈니랜드가 어디 있는지 알려 주었더니 그 자식이 나보고 뭐라는 줄 알아? 내가 헷갈렸다는 거야! 난 직접 가 봤잖아, 찰리!"

"그래, 그건 맞아."

찰리는 금방 인정하더니 재빨리 소리를 죽여 혼잣말로 덧붙였다.

"몇 날 며칠 얼마나 잘난 척을 했었다고."

"엄청나게 큰 막대 사탕을 선물로 사다 줬는데, 그거 먹다가 네 이빨이 빠지고 말았잖아."

"기억 나."

"혹시 아직도 있어? 혹시 포장지라도 안 남았어?"

"없어, 포장지는 가지고 있어서 뭐하게?"

"내가 디즈니랜드 갔다 온 기념품이니까. 파리의 디즈니랜드 말이야! 그럼 재커리에게 증거로 보여 줄 수 있잖아."

찰리가 대답했다.

"그래도 무시했을 거야. 그 자식은 뭐든 다 무시하는 것 같아."

아작아작

오도독

헨리도 같은 생각이었다.

"난 재커리에게, '거짓말쟁이! 거짓말쟁이! 엉덩이에 뿔 난대요!' 라고 놀리는 것조차 완전히 시간 낭비라고 생각해."

찰리가 말했다.

"걔 말을 듣다 보면 내 머리가 이상해져. 재커리의 말이 머릿속에서 돌고 도는 느낌이야."

헨리도 같은 생각이었다.

찰리가 말했다.

"늑대라니!"

"맞아. 네 마리의 말도."

"맞아."

"그리고 로켓! 넌 이해했어?"

찰리가 우물쭈물하며 대답했다.

"난 수학적인 계산은 이해했어. 다시 설명해 줄까?"

"지금 말고."

조용히 한참을 터벅터벅 걷다가 갑자기 찰리가 말했다.

"우리는 '거짓말쟁이! 거짓말쟁이! 엉덩이에 뿔 난대요.' 라고 놀리지 않았어!"

"맞아."

"하지만 녀석의 말이 모두 사실일 리가 없어."

"그렇지. 물론 그럴 리가 없어."

"그럴까?"

헨리는 참을 수 없다는 듯이 말했다.

"찰리, 넌 그게 사실 같아?"

"아니, 하지만……."

"하지만 뭐?"

"사실이면 정말 근사하지 않아?"

제5장
서리와 얼음

찰리와 헨리는 엄마에게 재커리에 대해 말했다.
헨리의 엄마가 말했다.

"아이고, 불쌍해라!"

나중에 헨리는 찰리에게 엄마 말을 그대로
옮겼다.

"불쌍하다니! 우리 엄마는 정신이 어떻게 됐나
봐! 말이 네 마리나 있다는데 불쌍하긴 뭐가

불쌍하다는 거야!"

찰리도 같은 생각이었다.

"백만장자쯤 되어야 말을 네 마리나 키울 수 있다고 생각했는데."

"억만장자겠지!"

"수백억만장자!"

"그런 부자는 처음 들어 보는데!"

헨리가 그렇게 말하자 찰리는 자기도 들어 본 적이 없는 듯해서 말을 돌렸다.

"우리 엄마가 재커리를 우리 집에 초대하라고 했어."

찰리의 엄마가 말했다.

"재커리에게 언제 간식 먹으러 오라고 해. 한번 만나 보고 싶구나."

"왜요?"

"그야 당연히 친해지려고 그러는 거지."

"내가 친해지려고 집에 초대하면 녀석은 이미 내 친구나 된 줄 알 거라고요."

"그럼 더 잘됐네."

찰리가 제안했다.

"엄마가 정 누군가를 초대하고 싶다면, 헨리를 초대하면 되잖아요."

"아니, 됐어, 찰리! 그럴 생각은 없어."

"아니, 나는 왜 엄마가 헨리보다 재커리를 더 만나고 싶어 하는지 모르겠어요."

"헨리야 이미 충분히 만나고 있잖니."

그렇게 말하는 엄마 목소리에는 참을성이 사라지고 있었다.

"지난 4년 반 동안 난 적어도 매일 하루에 한 번씩 헨리를 만났어. 헨리의 무릎에 반창고를 붙여 주기도 하고, 머리에 묻은 진흙도 닦아 줬어. 너를

웅덩이에 빠뜨려 죽을
뻔하게 했을 때도
헨리를 용서해 줬지.
만우절에는 다리를
움직일 수 없다고 속이는
바람에 내가 헨리를
병원까지 싣고 갔었잖니.
헨리에게는 얼마나 많이 점심과 간식과 도시락과
저녁까지 해 줬다고! 난 헨리를
너무 잘 알고 있어. 나도
이제 변화 좀 갖자!"

"아하!"

"가서 재커리한테 간식
먹으러 오라고 해. 그리고
이건 명령이야!"

찰리가 재커리에게 말했다.

"우리 엄마가 너한테 간식 먹으러 올 수 있는지 꼭 물어보래."

"왜?"

"이제 헨리가 지겨우신가 봐."

옆에 있던 헨리는 깜짝 놀라며 믿을 수 없다는 표정을 짓더니 물었다.

"내가 지겹다고? 농담하시는 거야?"

"아니."

헨리가 말했다.

"분명히 농담하신 거야. 내가 지겹다니! 하하!"

"농담 아니야. 기분이 아주 안 좋으셨어. 엄마는 변화를 갖고 싶대. 내가 대드니까 '재커리한테 간식 먹으러 오라고 해. 그리고 이건 명령이야!' 라고 하셨다니까."

재커리는 교실을 둘러보았다. 유리 창문, 교실 문,

기니피그와 책상 밑까지 살폈다. 책상 밑에서
재커리는 답을 구한 것 같았다.

재커리가 말했다.

"어쨌든, 난 간식을 좋아하지 않아."

그래서 그게 끝이었다.

그다음 며칠 동안 서리와 얼음이 얼 정도로
날씨가 무척 추워졌다. 홀리데이 선생님은 운동장
담당인 날에 새로 산 털 부츠를 신기 시작했다.

어느 여자아이가 말했다.

"저 부츠를 신으니 선생님 다리가 아주 귀여운
양의 엉덩이처럼 보여."

재커리는 이제 찰리와 헨리를 구별할 수 있게
되었다. 그 외에는 아무것도 달라진 게 없었다.

재커리의 이야기는 날이 갈수록 더 황당해져

갔다. 재커리는 자기
애기를 귀담아듣는
애들에게 끓어오르는
간헐천(재커리의
말에 의하면 '뜨거운
진흙이 뿜어져 나오는
작은 화산' 같았다고
한다.)을 본 이야기와
미국 집에 두고 온
네발자전거 이야기, 그리고
조용히 책 읽는 시간에
이빨을 삼켰던 이야기와
재커리가 마녀라고
부르는 영국에 사는
할머니에 대한
이야기를 했다.

　찰리는 머릿속이 빙빙 돌았다. 어떻게 생각해야
할지 알 수가 없었다.

　헨리는 알았다.

　"거짓말쟁이! 거짓말쟁이! 엉덩이에 뿔 난대요!"

　헨리는 재커리가 이야기할 때마다 그렇게 놀렸다.
재커리를 놀리는 게 완전히 시간 낭비라고 전에
자기 입으로 직접 말해 놓고 말이다.

　헨리가 까칠한 목소리로 말했다.

　"누군가 나서서 우리가 녀석을 어떻게

생각하는지 알려 줘야 해."

찰리도 가끔은 그런 생각이 들기는 했지만 그렇게
말하는 게 쉽지 않았다. 왜냐하면 재커리가 이빨을
삼키는 것을 직접 보았기 때문이다.

날씨는 얼어붙을 듯 추웠지만 별이 총총 뜰
정도로 밤하늘은 맑았다. 재커리는 쉬는 시간의
대부분을 주차장에 있는 푹 꺼진 곳과 더 이상 물이
뚝뚝 흐르지 않는 수도꼭지를 보며 보냈다. 찰리와
헨리는 재커리를 주의 깊게 관찰하는 습관이
생겼다. 그러다 둘은 재커리가 숲 뒤에서 늑대가
나오고 모닥불이 타고 있는 꽁꽁 얼은 호수를
생각하고 있다는 것을 알았다. 그리고 밤하늘이
얼마나 맑은지 2년 반이나 떨어져 있는 별로
날아가는 로켓을 볼 수 있을 것도 같았다.

어느 날 밤, 찰리는 엄마 아빠랑 맥스 형을 마중

나갔다. 맥스는 친구 집에서 놀다 집으로 걸어오고 있는 중이었다. 엄마 아빠가 차 시동 걸리는 걸 기다리느니 걸어가는 게 빠를 것 같다고 해서 걸어갔다. 맥스의 친구는 학교 반대편에 살고 있었다.

집으로 돌아오며 찰리와 맥스는 엄마 아빠 뒤를 따라 걸었다. 찰리는 그때 처음으로 형에게 재커리의 아빠와 로켓에 대해서 말했다.

맥스는 하늘을 올려다보며 말했다.

"어느 별인지 궁금하네."

형 말에 찰리는 등골이 오싹해지는 것을 느꼈다. 그런 기분은 학교 앞을 지나갈 때 더 심해졌다. 어둑어둑한 운동장에서 작은 무언가가 조용히 구석으로 휙 숨어 들어가는 것을 분명히 보았기 때문이었다.

작은 무언가의 머리 주위가 빛나고 있었다. 아마

노란색 곱슬머리가 별빛에 비치면 그렇게 보일 것
같았다.

　찰리가 맥스 형에게 물었다,

　"형, 혹시 누구 봤어?

　"어디서?"

　"운동장에서. 누군가가 숨던데."

“홀리데이 선생님이 숨어 있다 달려들려고
하셨나?”

맥스는 웃으면서 대답했다. 그러고는 찰리에게
달려드는 홀리데이 선생님 흉내를 그럴듯하게 냈다.

찰리는 형을 밀쳐 내며 말했다.

“홀리데이 선생님보다는 훨씬 작았어.”

“난 아무도 못 봤는데. 하지만 네가 원한다면
돌아가서 살펴볼 수 있어.”

“싫어!”

갑자기 가슴이 철렁한 찰리가 큰 소리로 말했다.
형이 그렇게 할까 봐 말을 돌렸다.

“엄마 아빠 있는 데까지 달리기 시합하자, 형!”

맥스 형이 싫다고 하기도 전에, 찰리는 달리기
시작했다.

맥스도 찰리의 뒤를 쫓아 달렸다. 둘이서 무서운
속도로 스치며 달려가는 바람에 찰리의 엄마는

하마터면 넘어질 뻔했다. 찰리와 맥스는 내리막길을
달렸다. 울타리 아래에 드리워진 가장 컴컴한
어둠을 피하고, 조용히 열려 있는 문의 어두운
그림자를 훌쩍 뛰어넘어 달렸다. 그러다 반가운
가로등을 만나 주저앉았는데 심장이 쿵쿵 뛰고
있었다. 옆에 든든한 형이 있고, 그리 멀지 않은
곳에 엄마와 아빠가 있으며, 모퉁이만 돌면 불이
켜진 창턱에서 찰리네 고양이 수지 녀석이 쳐다보고
있는 집이 있으니 한밤중에 달리는 것은 겁이 나도
정말 짜릿할 정도로 신 나는 일이었다. 찰리는
운동장에서 본 듯한 작은 무언가에 대해서는
잊어버렸다.

　하지만 집 안이 조용해지고 편안하게 침대에 누워 ·
잠을 청하고 있을 때, 찰리는 다시 그 생각이 났다.
누비이불과 푹신푹신한 담요, 따끈한 물이 들어
있는 공룡 모양의 보온병이 옆에 있고, 겨울 잠옷을

입고 있었지만, 기억이 떠오르자 몸이 부들부들
떨렸다.

　'재커리가 운동장에 있었던 걸까?'

　지금 생각하니 맥스 형하고 그때 돌아가 봤으면
좋았을걸, 싶었다.

　'다시 가 볼걸 괜히 집에 뛰어왔어.'

　그러다 서먹했던 첫날 재커리가 했던 말이

생각났다.

"난 아주 멀리서 왔어."

재커리는 가고 싶어도 미국에 있는 집으로 달려갈 수 없겠다는 생각이 들었다. 별나라까지도 달려갈 수 없었다.

찰리는 갑자기 재커리가 불쌍하다는 생각이 들었다.

그런 생각이 든 것은 그날이 처음이었다.

제 6 장
끔찍한 사고

다음 날 학교에 끔찍한 사고가 있었다. 밤새 주차장이 검은 얼음판으로 변해 있었던 것이다. 그 바람에 교장 선생님의 차가 미끄러지면서 끔찍하게 요란한 소리를 내며 수위실에 부딪혔다. 무슨 일인지 살피러 나왔던 수위 아저씨는 그만 넘어져 다리가 부러지고 말았다. 구급차가 도착해 수위 아저씨를 병원으로 싣고 갔다. 그다음에는 견인차가

와서 교장 선생님 차를 끌고 갔다.

　홀리데이 선생님도 빙판이 되어 버린 주차장에서 사고를 당했다. 양의 엉덩이처럼 생긴 부츠를 신은 채 얼마나 세게 넘어졌던지 한쪽 팔에 엄청나게 큰 멍이 들었고, 머리도 부딪혀 멍이 생기고는 한쪽 눈이 부어올랐다. 하지만 선생님은 수위 아저씨나 교장 선생님처럼 실려 가기를 거부했다.

선생님은 교실로 와서 말했다.

"학교 주차장에는 절대 나가지 마라. 수도에서 물이 얼마나 샜는지 주차장 전부가 빙판이 되어 버렸단다. 스미스 교장 선생님 자동차가 완전히 부서졌어. 나중에 다리가 부러진 수위 아저씨에게 드릴 위로 카드를 만들자."

선생님은 멀쩡한 한쪽 눈으로 교실 전체에 얼음처럼 차가운 눈빛을 보냈다.

찰리는 뜨끔했다. 찰리는 재커리를 일러바칠까 생각했다. 그러나 그렇게 하고 싶지 않았다. 찰리는 엄마 아빠에게 달려가던 자신과 형을 생각했다. 그리고 달려가면 닿을 수 있는 따뜻하고 아늑한 집을……. 그 전날 운동장에서 힐끗 본 재커리의 외로움이 떠올랐다. 찰리는 재커리를 처음 만났을 때보다 재커리를 더 많이 이해하고 있는 것도 아니었다. 하지만 어느새 찰리는 재커리 편이 되어 있었다. 찰리는 어떻게 해야 할지 알 수가 없었다.

재커리는 어떻게 해야 할지 알고 있었다.

재커리가 일어서더니 말했다.

"다 제 잘못이에요. 죄송합니다. 어젯밤에 제가 수도꼭지를 틀었어요. 저는 얼어붙은 호수를 만들고 싶었어요."

홀리데이 선생님은 사랑스러운 눈으로 재커리를 바라다보며 말했다.

"정말 용감하고 정직하구나, 재커리. 아주 용감하고 정직해. 네가 자랑스럽구나."

재커리에게 '거짓말쟁이! 거짓말쟁이! 엉덩이에 뿔 난대요!'라고 놀렸던 헨리가 갑자기 책상에 고개를 숙이고 울기 시작했다.

아무도 한마디도 하지 않았다. 홀리데이 선생님도 마찬가지였다.

그때 찰리가 갈라지는 목소리로 말했다.

"저도 재커리가 자랑스러워요!"

찰리는 한 팔로 재커리를, 나머지 팔로 헨리의
어깨를 감싸 안으며 덧붙여 말했다.

"재커리가 잠시 머무는 게 아니라 영원히 우리랑
같이 있었으면 좋겠어요."

제7장
로켓과 별

찰리의 바람은 이루어지지 않았다. 이제 서로 익숙해지려 할 즈음, 재커리가 말했다.

"난 이제 가야 해."

"뭐라고?"

찰리와 헨리가 놀라 큰 소리로 되물었다.

재커리가 처음 교실에 모습을 나타냈을 때는 뜻밖이라는 느낌뿐 아무 감정이 없었는데, 어느새

정이 들었는지 재커리가 떠난다고 하자 둘은 너무나
화가 났다.

찰리와 헨리가 말했다.

"안 돼! 온 지 얼마나 됐다고! 누가 너보고 가야만
한대? 그게 무슨 뜻이야, 가야 한다니?"

재커리가 대답했다.

"돌아간다고."

"어디로 돌아간다고?"

"그냥 돌아가는 거야."

재커리는 집으로 가는 게 아니라는 사실 말고는
자신이 어디로 가는지 전혀 모르고 있는 것 같았다.

"곧."

찰리가 물었다.

"곧? 곧 언제?"

"토요일."

"토요일? 오늘이 벌써 화요일인데?"

찰리는 맥스 형에게 투덜거렸다.

"제대로 친해지지도 못했는데!"

"친해지고 싶어 하지도 않았잖아."

"걔가 간식 먹으러도 안 왔어."

"그게 누구 잘못인데?"

"걔가 말 안 한 게 너무 많아."

"만약 말해 주었다면 믿었을까?"

최근에 맥스는 '거짓말쟁이! 거짓말쟁이!
엉덩이에 뿔 난대요!' 라고 놀리는 소리를 들었던
모양이다. 맥스는 찰리에게 그 말을 어떻게
생각하는지 말했다.

찰리는 투덜거리기만 했다.

"하지만 이제 시간이 없어!"

맥스가 따끔하게 야단쳤다.

"시간은 많았어. 너희들은 다 너무나 끔찍했어!
악동들이야. 너희들은 모든 걸 다 아는 듯이

굴었다고! 눈앞에 있는 것밖에는 아무것도 볼 줄
모르는 아이들이었어!"

찰리가 소리를 질렀다.

"형도 마찬가지야."

하지만 찰리는 그게 사실이 아니라는 것을 잘
알고 있었다. 맥스 형은 한 번도 재커리더러
'거짓말쟁이'라고 하지 않았다.

맥스는 재커리 말을 듣고 "어느 별인지
궁금하네."라고 말했었다.

찰리가 울먹였다.

"어떻게 하지? 어떻게 하면 미안한 마음을 갚을
수 있을까?"

"잘 생각해 봐."

찰리는 곰곰 생각해 보았다. 찰리는 손끝을
물어뜯으며 생각했다. 찰리는 머리를 쥐어뜯으면서

생각했다. 머리를 베개에 묻고 생각하고 또
생각했다. 그리고 드디어 좋은 생각이 떠올랐다.

찰리가 헨리에게 말했다.

"어쩌면 그다지 좋은 생각이 아닐지도 몰라.
어떡하지?"

헨리가 제안했다.

"홀리데이 선생님에게 물어보자."

이야기를 들은 홀리데이 선생님이 말했다.

"좋을 것 같은데? 내가 재커리에게 말해 볼게."

"네."

"그리고 재커리의 할머니께도."

"좋아요."

"그리고 일기 예보도 살피고."

"그건 생각 못했어요."

"아이들 집에 가정 통신문도 보내야 할 것 같아."

"일이 많네요."

찰리는 그렇게 말하더니 한숨을 쉬었다.

홀리데이 선생님이 말했다.

"선생님이 되도록 서둘러 볼게."

하지만 선생님이 "정말 멋진 생각이다!"라고
말했을 땐 이미 목요일이었다.

금요일 오후 홀리데이 선생님 반 아이들은 학교가
끝난 뒤에도 교실에 남았다. 아이들은 과자랑 검은

까치밥나무 주스와 재커리 할머니가 가져온 초콜릿 케이크를 준비했다. (재커리의 할머니는 거의 말씀도 없었고 일찍 가 버렸다. 정말 생김새가 마녀 같았다.) 유리창 밖에 컴컴한 어둠이 적당하게 내릴 때까지 아이들은 게임을 하고 놀았다.

그러다 마침내 홀리데이 선생님이 아이들에게 준비하라고 일렀다. 아이들은 모두 따뜻하게 옷을 챙겨 입고 운동장으로 나갔다. 재커리는 아이들이 바라보아야 할 곳을 손가락으로 가리켰다.

모든 아이들은 로켓과 별을 분명히 보았다.

옮긴이의 말

　찰리와 헨리가 티격태격하면서 어떻게 친구가 되었는지 마침내 그 비밀이 밝혀집니다. 그리고 같은 반에 재커리라는 친구가 새로 전학 와서 생기는 재미있는 이야기가 펼쳐지지요. 미국에서 온 재커리는 이상한 게 한두 가지가 아니에요. 글쎄, 전학 온 첫날 자기소개를 하는데 자기네 아빠가 우주 비행사라는 거예요. 재커리 말이, 아빠는 우주를 돌아다니다 최소 5, 6년 뒤에 돌아올 거래요.

　여러분이 같은 반 친구라면 이런 말들을 그냥 믿어 줄 수 있나요? 황당한 건 그뿐이 아니에요. 재커리는 자기 집에서 애완동물로 말을 네 마리 키우고, 자기네 집에 있는 호수에서 스케이트를 즐긴다는 말까지 해요. 보통 아이들처럼 찰리와 헨리는 재커리의 말을 믿을 수 없었답니다. 점점 재커리가 거짓말쟁이 같아 의심만 쌓여 가지요.

하지만 학교 운동장을 빙판으로 만들어 사람들이 다치고 일이 커졌을 때, 재커리는 용감하게도 자기의 잘못을 인정합니다. 그때야 비로소 아이들은 재커리의 말을 믿어 주고 인정하게 되지요.

우리는 대부분 낯선 사람이 나타나면 먼저 거리를 두게 돼요. 여러분도 자기랑 다르다고 해서 무조건 틀렸다고 하거나, 그런 누군가를 믿지 못했던 경험이 있지 않나요? 누군가가 우리와 다른 무언가를 가지고 있을 때, 그 사람에게는 그렇게 된 이유가 분명히 있을 거예요. 그 이유를 모르더라도 우선 이해해 주고 존중해 주는 게 어떨까요?

요즘 학교에서는 조금 특이하거나 남다른 행동을 하는 친구가 있으면 왕따를 당하는 경우가 많아요. 생각이 조금 다르다고 해서 왕따를 시키는 경우도 있지요. 이제부터라도 조금 더 넓은 마음으로 나와 다른 친구들까지도 이해하고 받아들이는 멋진 친구가 되어 보는 건 어떨까요?

지혜연